一种感觉到自己还活着的巨大幸福
感淹没了她。外面，太阳的光辉照耀着
世间万物。小镇里熙熙攘攘。比起穿着
蓝裙子的小公主的那片广阔的雪地，这
儿显得更真实。

少年励志小说馆

Youth Inspirational Fiction Section

看不见的美丽

[法国]简兰·考米诺吉依◎著

[法国]弗雷德里克·雷贝那◎绘

朱蔚冰◎译

长江出版传媒 湖北少年儿童出版社

图书在版编目(CIP)数据

看不见的美丽 /(法)考米诺吉依著;朱蔚冰译.—武汉:湖北少年儿童出版社,2013.10
(少年励志小说馆)
ISBN 978-7-5353-9668-6

Ⅰ.①看… Ⅱ.①考… ②朱… Ⅲ.①儿童文学—中篇小说—法国—现代 Ⅳ.① I287.47

中国版本图书馆 CIP 数据核字(2013)第 252841 号
著作权合同登记号:图字 17-2013-078

LA REINE DU MERCREDI

By Jean-CÔme Noguès

Illustrated by Frédéric Rébéna

© Éditions Nathan/HER (Paris, France), 2001

© Éditions Nathan (Paris, France), 2013 pour la présente édition

Simplified Chinese copyright © 2013 Dolphin Media Co., Ltd.

本书中文简体字版权经法国 Nathan 出版社授予海豚传媒股份有限公司,
由湖北少年儿童出版社独家出版发行。
版权所有,侵权必究。

Youth Inspirational Fiction Section 少年励志小说馆 **看不见的美丽**

[法国]简兰·考米诺吉依/著 　　[法国]弗雷德里克·雷贝那/绘 　朱蔚冰/译
责任编辑/罗 萍 叶 朋 张雪娇
美术编辑/沈 霞 装帧设计/钮 灵
封面绘画/曲林音
出版发行/湖北少年儿童出版社
经销/全国新华书店
印刷/恒美印务(广州)有限公司
开本/889×1194 1/32 4 印张
版次/2015年1月第1版第2次印刷
书号/ISBN 978-7-5353-9668-6
定价/13.80 元

策划/海豚传媒股份有限公司(15060927)
网址/www.dolphinmedia.cn 邮箱/dolphinmedia@vip.163.com
咨询热线/027-87398305 销售热线/027-87396822
海豚传媒常年法律顾问/湖北豪邦律师事务所 王斌 027-65668649

成长的那些事儿

年少时，心里曾藏着多少成长的小秘密啊！那是怀梦的日子，也许曾梦想改变世界，却仍会在小挫折面前不知所措，不知道该如何突破自己；或曾想要环游各大洲，却只能在自己小小的世界里黯然伤神，不知道该如何找到最真实的自我；曾几何心怀大志，渴望叱咤风云，却总是感觉没有一个人能真正理解自己，不知道怎样做才能得到认可……那些成长的事儿，有时候连亲爱的爸爸妈妈也弄不清该如何参与进来，主角永远只是自己。那是一些只属于自己的故事，快乐过，伤心过，也哭过，也笑过！

"少年励志小说馆"系列是一套关于孩子自己的成长故事，孩子的渴望，孩子的秘密，孩子的困惑，都让人感觉那么真实，那么刻骨铭心。或许你的身边就有这么一个同学，甚至那个小主角可能就是你自己，成长的故事正在悄悄地发生着呢！

《玛蒂的勇气》是一个关于女孩成长秘密的故事,这个女孩名叫玛蒂,说她是"超级胆小鬼"绝对没夸张!为了生活,妈妈和她得经常搬家,她已经换过四所学校了。玛蒂讨厌新学校,她不敢面对新同学。当妈妈带着玛蒂搬到了儿时的故乡时,玛蒂一心只想成为舅舅的维修办学徒,这样既能避免每时每刻都要面对新同学的尴尬,或许又能让新同学对她另眼相看呢!为了获得"维修办学徒"的身份,玛蒂不停地记录着维修知识……这时,爱画画的昆西出现了,玛蒂很害怕,她并不认为昆西能成为自己的朋友。波奈特校长告诉玛蒂:"如果你无所畏惧,就不会变勇敢。"这句话让玛蒂开始思考,她得做点儿勇敢的事情,她要鼓起勇气,让妈妈知道她讨厌搬家,告诉昆西自己的秘密。

　　也许,并不是每个孩子都像玛蒂一样胆小和有着某种恐惧症,但是很多小朋友都可能会像《看不见的美丽》中的小女孩阿德拉伊德一样,讨厌过自己难听的名字,或是觉得自己不够漂亮。阿德拉伊德刚搬到一个新地方,新的学校生活并不如意,同学们给她起了个讨厌的外号——"丑八怪阿德拉伊德"。这个该死的外号,让她觉得自己越来越丑陋。孤独的阿德拉伊德总是爱独自去绿灌木丛林散步,在这里,她认识了盲人男孩路易。阿德拉伊德为自己编造了一个很好听的名字,还告诉路易自己非常漂亮。而在《我有一个"姐姐"》中，小男孩迪欧也撒了个小谎。他曾经是老师的"宠儿"，是学校"雏鹰"小队令人瞩目的小队长。可是到了新学校，没人跟他说话，这让他感觉很孤单。于是，他为自己捏造了一个拍广告的漂亮"姐姐"，以引起同学们的兴趣。在这些故事的最后，阿德拉伊德告诉路易自己的真名，因为在经历过很多之后，她发现自己能够坦然面对"难听的名字"了；而迪欧的谎言还是被识破了，但最终他用坦诚打动了同学，真正地赢得了同学的真挚友谊。在成长中，孩子们偶尔会去编造一些无伤大雅的小谎，但是正确处理事情的方式也许不太难，只要努力去尝试，运用智慧就能把事情做好。

成长中的很多事情，孩子们都要独自去面对，但是有时与智慧的长辈们进行交流，也能让他们得到很多人生的智慧呢。《我的知心奶奶》里的安娜贝尔，就有一位"知心奶奶"，她通过邮件与奶奶交流，告诉了奶奶自己的烦恼。在奶奶的帮助下，安娜贝尔试着学会理解和包容，去解决好她与最好的朋友之间的矛盾。

《蓝门里的雅各布》中的雅各布是一个怪小孩，爸爸的去世改变了他，他每天都生活在自闭的世界里，没有伙伴，上学迟到，上课心不在焉，经常幻想些并不存在的东西，一个人自言自语……妈妈和心理医生都尽力去帮助他，可雅各布还是举止非常"怪异",他会跟踪一个吉他手,把吉他手想象成自己的好朋友,因为他的爸爸就非常喜爱音乐。妈妈说服了偶像吉他手,让他去教雅各布学吉他,雅各布从此就开始了新的生活。其实,雅各布只是一个受了伤的小孩,他有点儿"自闭症"的特征,但是只要"对症下药",他也能找回自己的快乐。这样的孩子,更是需要关爱和更多的努力,才能引导他们走出人生的阴霾天。

每个孩子都会有很多很多的缺点,他们很平常,甚至是有点儿像"丑小鸭"。《丑小鸭男孩》的主角内特就是这么个男孩,家里有个优秀的哥哥,使得他感觉自己太差劲、不受爸妈重视。在学校里,他因身材矮小、身上有难闻的气味,而受到同学的排挤。但是,好朋友莉比知道,内特是个非常有表演天赋的小孩。为了证明自己,为了追梦,内特毅然一个人来到纽约,去参加自己最喜爱的戏剧的选角试镜。他的努力和执着,大家都看到了。内特也在"追梦之旅"中,发现爸妈一直都是爱自己的,他也更加认识到自己其实就是"白天鹅"。

这些成长的故事,没有惊天动地的"大事情",只是一些关于孩子的小故事。那些曾经感觉过不去的坎,那些让孩子垂头丧气的原因,那些使孩子不自信的小心事儿……只要去积极面对、合理调节,这些看似不和谐的小音符,与那些欢快的音符组合在一起,就能奏出一首美妙的成长曲。

目录
CONTENTS

第一章
坏 消 息

再过几个月，她就要满十一岁了，如果她像许多同龄的小女孩一样，名字叫玛侬或者瓦娜莎，那她应该会非常开心。

她也喜欢婕拉尔丁这个名字。

但是她的名字叫阿德拉伊德。

这还得拜她爸爸的一位姑婆所赐，这位姑婆很富有而且没有孩子，于是她向阿德拉伊德的爸爸承诺，如果由她给阿德拉伊德取名，那她就会留给阿德拉伊德一些遗产。

这就是阿德拉伊德这个名字的来历。

烦恼的事儿总是接连不断。一天早晨，阿德拉伊德正想把头发剪短，显得清爽一些，她突然觉得，她可能并不像以前自己以为的那么美丽。

直白地说来，是有点丑。

阿德拉伊德小时候，大家都说她很可爱。

她过去一直对大家说的话深信不疑，一点儿都没留心在她身上悄悄发生的变化。

直到某一天，她明显地感觉到自己已经跟小时候不一样了。

她看到她自己的样子，她不再是一个小孩子了，可是又还未蜕变成一个女生。她越仔细检视，越对自己的外貌不满起来。她的鼻子怎么会变成现在这样？以前大家不都说她的眼睛大吗？现在，在过于浓密的眉毛下面，她的眼睛已经变得又小又圆。右边脸颊上还留着一个痘印,但是……这一切都会过去的!

一切都会过去的。

阿德拉伊德看着镜中丑丑的自己,突然瘪起嘴,鼻子里感觉酸酸的,有一种想哭的冲动。

六月的一个晚上,当阿德拉伊德的妈妈把番茄炒蛋和黄灿灿的薯条端上餐桌的时候,一个突如其来的消息打碎了这份温馨和宁静。

"已经定下来了,"爸爸说道,"鲁亚克的那个养路工人退休了,我接手了他的职位。"

妈妈手上端着盘子,直愣愣地站在那儿。

"你考虑好了吗?"妈妈问他,好像这么一问还能挽回点什么一样。

"嗯,我是决定以后才和你们说的。"

妈妈搁下盘子说道:"唉,我并不是不想搬出这栋老房子。这个村子就更别提了!"

村子不是也很值得留恋吗?阿德拉伊德突然意识到,她就要离开这个从小生长起来的地方了。

"这么说的话，我们什么时候搬？"妈妈又问。

"八月底吧。"

"八月底？"

妈妈用惊愕的目光扫视着整个厨房，她已经在思忖着不得不打包带走的东西了。

"这么多东西，你想让我怎么搬过去？"妈妈抱怨道。

"别大惊小怪的，我们还有两个月来收拾呢。"

阿德拉伊德心思都不在这儿上。她喜爱这里两旁都是法国梧桐的道路，有着盾形装饰的、经历时间打磨而显得有些破败的喷泉，还有那秋天的葡萄树。她已经开始舍不得学校里的同学，那一时遗忘在柑橘园的书包，还有赛得里克追赶着他们尽情奔跑的情景。

她不愿承认，鲁亚克距离玛特纳只有 15 公里。那儿秋天也有葡萄树，在村庄的路旁也有法国梧桐和柑橘园，同样也会有爱捉弄人的小男孩追着她愉快地奔跑。

"爸爸，你为什么不能每天开车去上班呢？鲁亚克离玛特纳不远啊。这样我们就可以继续住在这儿了。"阿德拉伊德问道。

"我们现在住的是房子是属于我单位的，它必须得腾出来给下一个职工啊。"

在阿德拉伊德一家出发的前一周，阿德拉伊德准备最后去看一次这个小村庄。当她走遍村庄里的角角落落，她不得不承认她实在是一点都不想离开玛特纳。

"你叫什么名字呀？"她可以想象到，到了鲁亚克后一定会有很多人这么问她，而且已经能够想见随着这个问题接踵而来的各种议论。可能有人会说："从来没有听说过这个名字啊！"或者，"这好像我的曾曾祖母的名字。"

有些更不礼貌的人们就有可能这么说："你父母是在哪儿找到这个名字的啊？"

然后就会又问："你叫阿德……什么来着？"

在玛特纳，村里的每个人都认识她，因此也从来不会问她这个问题。

而在鲁亚克，一切都得重头开始。

第二章
塔中的小房间

　　不过没多久，阿德拉伊德就开始喜欢上了好像位于世界另一端的鲁亚克。这个小村庄隐藏在两块灌木丛生的石灰质高地之间，村里到处种植着葡萄树，还有一些橄榄树。村庄里有一个小小的湖，湖边松树环绕，经常可以听到蝉在吸食树脂时发出的唧唧叫声。这里有一个四面环绕着高高围墙的花园，入口是一扇十分坚固的大门，里面矗立着一座高大的建筑……

那就是阿德拉伊德一家人即将生活的地方。

然而阿德拉伊德的妈妈可说不上来高兴，她看了看他们"梦想之家"的环境，低低地抽泣起来。阿德拉伊德却十分好奇，她爬上房子的顶层，发现从这里也可以进到房子里面去：一条狭窄的走廊通向塔楼里的一个小房间。

这就是阿德拉伊德的房间。她可以把她的书摆到书架上，暗自祈祷没有小老鼠光顾……她最喜欢的一本书讲述了一个沙俄小女孩的故事。

把书拿在手上，逐页翻过去，几辆马车飞奔而来，马蹄扬起一阵白色雪尘。狼群突然出现，惊扰了拉车的几匹马。车夫高声吆喝，扬起鞭子，马车迅速朝前驶去。小女孩漂亮极了，她从头到脚裹着银色的狐狸皮风衣，坐在车上，既兴奋又害怕，躲在老师的身边，笑得眼泪都要出来了。当她回头去看狼群是否还尾随她们的时候，还能隐约看到一截她的蓝色天鹅绒裙子……

这本书再往后翻几页，可以看到村民们跳着舞，茨冈人（俄罗斯人对吉普赛人的称呼——编者注）拉着小提琴为他们伴奏。小女孩坐在留着金色胡须的爸爸和散发出迷人香气的妈妈中间，高兴地跟着节奏拍着手。妈妈的身上总是香香的，因为她总是喜欢戴散发出香味的手套。书里就是这么写的，但是阿德拉伊德已经懒得再翻下去了。

因为这个故事她已经读了太多遍了，早就烂熟于心了。

其实，阿德拉伊德的书不多，要是有一千本书放在书架上该多好！

她只有七本。

这七本书，就像白雪公主的七个小矮人，住在森林里一栋无人知晓的小房子里。森林的深处蕴藏着巨大的宝石矿藏。小矮人们问：

"你叫什么名字呢？"

"阿德拉伊德。"

"阿德拉伊德！这是一位女王的名字！多么动听的名字！"

一只鸽子咕咕叫着从屋顶飞过。在不远的地方，可以看到村庄里的人们来来往往。

第三章
开学了

"你叫什么名字啊？"塞巴斯蒂安·莫里亚斯问道。

"阿德拉伊德。"

他听后欢快地拍着自己的大腿。

然后他马上转头叫另外一个孩子："嘿，看看那个新来的！你知道她叫什么名字吗？"

小男孩和小女孩们都走过来围成一个圈。一

切本应该进行得很顺利的,但是塞巴斯蒂安·莫里亚斯不依不饶,仍然在取笑阿德拉伊德的名字,这让她感到郁闷异常。塞巴斯蒂安喜欢被人围观的感觉,自打开学那天起,他就什么正事儿都没干过,他也想让所有的孩子都知道这一点。

塞巴斯蒂安·莫里亚斯快要十二岁了,这是他在这个学校的最后一个开学典礼了。再也不会有下次了。明年,他将准备参加铅管工专业技能合格证的考试,这可比小学老师每天上的课有趣多了。

"这些破课我都上了多少年了?无聊的语法课和没劲的地理课,我做的笔记都有这么高了!"

只要老师提问,他就立刻高举起手臂,虽然他只不过借此乱发泄一通,他也逢问必举。"要是能上足球课和计算机课就好了!"

假如还允许用举脚的方式回答问题,他一定会把两只脚都派上用场的。

他一点儿也不怕老师。反正这是他在学校里

的最后一年了。要是老师不放过他，总想抓他的小辫子的话，那可就别怪他不客气了，反正他的恶作剧永远也不嫌多。 说起小辫子，他头发可没那么长。只是他马上就长出小胡子了，他的上嘴唇周围开始长出一圈黑黑细细的绒毛，仔细看才看得出来。

眼前这个皱着眉头、穿着新衣服僵硬地站在一边的新生正好可以当他新学期第一个捉弄的对象，也好重振他因为暑假两个月而不那么响亮的"威名"。

"嘿！老婆婆，你拖着这么长一串名字，走路时候会不会被绊倒呀？"

他在一旁冷笑。其他孩子为了能讨好塞巴斯蒂安·莫里亚斯，也跟着他一起大笑起来。塞巴斯蒂安一看自己占了上风，就洋洋得意地接着说："这个名字和你太般配了！"

他特别擅长说这种恶毒的话，并且往往能击中别人隐藏在厚厚外壳下的脆弱神经，他突然停住不说了，只是为了等会儿能更想出些更残忍的招数嘲笑阿德拉伊德。

阿德拉伊德心里明白,如果她就这么忍受塞巴斯蒂安·莫里亚斯,铁定会成为他的受气包。

上课了。她挑了最后一排的位置坐下。从这里她可以看到全班的动静,可如果有谁想看她在干什么,就得转过身来,这就有了一种先发制人的感觉。

这时候老师说道:"阿德拉伊德,尽管我们教室没有明确的座位顺序,但是你应该努力让自己和同学们变得更亲近。你坐到多里安旁边来吧。"

"坐到多里安旁边?我不要!"

阿德拉伊德已经听到了多里安装模作样地打了声招呼:"嘿,我叫多里安。"他的声音又尖又细,说话像是在唱歌。她才不想坐到他旁边去。

阿德拉伊德瞟都不瞟他一眼,装作没有听到多里安说的话,在草稿本上认真地画着一条直线。老师也就没再坚持,她知道阿德拉伊德的沉默意味着什么。阿德拉伊德也明白她要跟别人保持距离得面临怎样的困难。

两天勉强过去了。上课时，大家都被要求专心听讲，还要应付作业，所以总算风平浪静。但是在课间休息时，塞巴斯蒂安·莫里亚斯就要试图推行他的"霸权主义"了。

"喂，新来的！既然你这么厉害，那你把数学的答案拿给我抄抄。听明白了吗？"

为了让阿德拉伊德能乖乖照做，塞巴斯蒂安·莫里亚斯装着向她的下巴直直地打去，就像她是个结实的男孩子，而他是一个拳击手冠军似的。然后他的拳头拐了个弯，换了更加令人恼火的战术，他死拽着阿德拉伊德的袖子。阿德拉伊德站在那儿一动不动，正当塞巴斯蒂安准备用脏兮兮的手指头去拧她鼻子的时候，她冷不防地抬起手，打了这无赖一个耳光。在此之前从来没有哪个人敢这么做，但这个才搬到这里的新来的小女孩居然就这么打了他！这在孩子们中间造成了轰动，大家纷纷围了上来。

这下可把塞巴斯蒂安惹毛了，他开始反唇相讥：

"你长得太难看了，而且还有一个这么白痴的名字，鬼都懒得理你！"他轻蔑地抛出这么几句话，生怕别的孩子发现他已经在跟阿德拉伊德的争斗中落了下风。

阿德拉伊德被其他人团团围住。她的心里升起一种害怕的感觉，脑子也"嗡"的一声，没经任何思考就向这个喜欢惹是生非的混蛋扑去。她一手抓住塞巴斯蒂安·莫里亚斯的头发，另一只手死命抽他的耳光，连她自己都不知道打了多少下。

塞巴斯蒂安没预料到她这么快又扑了上来。他定了定神，就使出浑身解数来反击阿德拉伊德。他马上就要十二岁了，身上的肌肉也长得很壮。他伸手一拳打在阿德拉伊德的肩膀上。这一拳力道不小，阿德拉伊德向后退了几步，随后她的头撞在了院子里的一根柱子上。

塞巴斯蒂安好像没有预见到这一拳的后果似

的,莫名其妙地大笑起来。有个声音在他心里悄悄地响起,他也意识到这一次他的角色好像不怎么光荣。欺负一个比他小一岁的,还是个女孩子,多少有损于这个未来修理工的威信。阿德拉伊德刚撞到柱子上就立刻跳了起来,继续反击。结果是铅管工同学挂了彩,他吃了耳光,脸被抓伤了,还挨了几拳头。他现在鼻青脸肿,一只眼睛都睁不开了。

这时,被这场出人意料的打斗吸引过来的孩子自动让出一条路,原来是老师大步流星地赶来,脚下的沙砾被踩得嘎吱嘎吱直响。阿德拉伊德既没看到老师,也没听到老师的脚步声。她依然死死地抓着这个大坏蛋的衬衫衣领,直到将他拉倒。阿德拉伊德现在感觉到受伤的肩膀开始疼痛了,但是她的愤怒远远超过她身体的痛苦。

老师生气地把他俩分开。

"老师!是她先……"

挨打的塞巴斯蒂安现在装出很柔弱的样子。既然有机会逃脱惩罚，为什么不这么干呢？只要能不被罚抄令人头疼的课文，他宁愿赔上自己的威名。

"你俩都给我冷静！一人站一个角落去！"

他们俩由于没有正当理由而打架，因此他们被罚课后留校，而且在接下来相当长的一段时间里都被禁足了。俩人就这样成了死对头。

阿德拉伊德在想，如果当时她跟老师说她有点难以适应新的环境，她的名字会被人取笑；或者是她对于没能控制好自己敏感的性格感到十分抱歉；又或者是她说自己已经后悔了，当时应该转身离开，不该去回应塞巴斯蒂安的挑衅……那么老师就不会对她责罚这么重了。

塞巴斯蒂安心里想的差不多：如果当时他跟老师讲，他知道自己太蛮横了；或者是他没有考虑到后果，在冲动的驱使下就这么做了；如果他在某种程度上承认自己是被阿德拉伊德打得很厉害（虽然这么说很丢人，但好歹有个借口）；如果他当时承认他没有反应过来事情就那么发生了,那就不会被罚的这么狠了……

他们都各自心想着:"如果……"

但是他们都没有说出来。因为阿德拉伊德是一个被孤独左右的孩子。塞巴斯蒂安又是个无法控制自己愤怒情绪的幼稚小孩。他们俩谁也不理谁,生怕一语不合又大打出手。他们彼此实在太厌恶对方了。

第四章
听　写

　　每周都有两到三天的下午要进行听写,这是让塞巴斯蒂安很头疼的一件事。老师看着这个可怜的学生:他支着胳膊靠在他那满是杠子的本子上,在旁边的草稿纸上涂涂画画,本子上的拼写和计算错误就像小蝌蚪一样密密麻麻地挤满了整个池塘。老师脸上宽容的微笑刚一闪现,就觉得这表情不应该留给他,马上皱起眉头,用严厉的语气说道:"塞巴斯蒂安,赶紧写!"

"好啊,老师。"

这声"好啊"并不代表他就会写了。大家都心知肚明,这不过是出于礼貌的回答,随便说说罢了。

听写是由老师念出单词的音节,再写出对应的单词。为了使同学们更容易辨认,老师加强了每个音节的语调,发音也更清晰,但是塞巴斯蒂安不管怎么样也听不出来。

"Paul s'a……ven……tura au fond……du……jardin, virgule."

阿德拉伊德对这个听写毫无压力,因为到目前为止她还没有不会的词。就连这个容易让人犯错的辅音都没有难倒她,小菜一碟。

"……é……pou……vanté……à l'idée……qu'une bête……?"

"老师!我不会写!"一个矮矮胖胖的小女孩把脸埋在本子里埋怨道。

"……qu'une bête……hi……deuse……"

"这是什么意思啊,hi……deuse?"

一个小男孩大声地自言自语道。

"Hideuse?"老师重复道。这个单词是用来形容一个人长得很丑,使人厌恶的。

"丑八怪阿德拉伊德。"

这个名字在听写的过程中蹦了出来,声音洪亮,全班都听见了。这一定是塞巴斯蒂安·莫里亚斯干的,他还装作很专注地在听写。这个可恶的玩笑马上显出了效果。全班同学都大笑了起来。他们纷纷转过来看向阿德拉伊德。

阿德拉伊德的脸一下子涨得通红。感觉有一股热潮一下子冲上了她的脸颊。一股难受的情绪哽在她的喉咙里。这对于她来说简直不是愤怒能形容的了,而是一种深深的痛苦。

塞巴斯蒂安这个捣蛋鬼还没意识到自己戳到了阿德拉伊德的伤心之处。她原来还不太相信自己长得丑，只是有点担心。现在，她终于意识到自己的脸在别人眼里也越来越不漂亮了，而且还伴着个这么糟糕的名字，只要她在这个学校里读书，那么这个难听的绰号就会像身上的烙印一样跟着她的。

阿德拉伊德趴在她的听写本上流下了眼泪。一颗豆大的泪珠落在了"hideuse"上。伤心的泪水模糊了本子上圆珠笔的字迹，这个可恨的单词淹没在她的泪水之中。

这个被人称作"丑八怪"的女孩不想让大家看到她哭。她深吸口气，又闭上眼睛，不允许自己再有眼泪滑落下来。她用垫板上的吸墨纸收拾了本子上的这场"悲剧"，然后又沉着地、坚定地在那团被泪打湿的蓝色云团里面重新写下了"hideuse"这个单词。

放学了，走出校门，阿德拉伊德看着从树上飘下来的梧桐叶子落在院子里的地上，都好像听见它们在叫喊着："丑八怪阿德拉伊德！丑八怪阿德拉伊德！"

她觉得那不是她的幻听，大自然真的残酷地低声歌唱着"丑八怪阿德拉伊德"。而且喷泉好像也在重复着这个名字。

高出河床的护墙上有一只名叫伊莎贝拉的小猫咪，它蜷缩成一团，小爪子搭在白色的过梁上面，舒服地闭着眼睛，在温和的秋日阳光下打盹。阿德拉伊德使劲吓唬了它一下，把它惊跑了。发泄完她的怒气，阿德拉伊德就离开了。

一回到家，阿德拉伊德就感觉她的心情马上平复了下来。她的妈妈还沉浸在一种忧郁的情绪中，她整理着碗橱，幻想着某天她和这些盘子能出现在她的梦想之家中。

"妈妈！我长得很丑吗？"

妈妈还处在忧伤的情绪中想得入神。

"我真的长得很丑吗？"阿德拉伊德提高嗓门重复问道。

妈妈把她推到厨房门外面,不想让阿德拉伊德来打扰她的美梦。

"怎么会丑呢?对于我来说,你是这个世界上长得最漂亮的小女孩。"

"妈妈,只有你这么想,别人可不这么看啊!"

那晚,阿德拉伊德呆在她顶楼的角落里直到天黑。她根本就睡不着,也没有心思去玩。她坐在天窗边,望着渐渐降临的黑夜。在楼下的路上,只有灯光在闪烁。而在顶楼里,夜色也越来越浓。

阿德拉伊德不再怀疑这个事实了,那就是:她真的长得很丑。

第五章
很丑吗

　　她真是变丑了。所有人看到她都这么说。再加上这个讨厌的名字，这个跟她一点都不合适的名字。她恨死"阿德拉伊德"这个名字了。

　　在往后的日子里，"hideuse"这个词并没有消失。塞巴斯蒂安·莫里亚斯对他的发明非常得意，并且不定期地就会提起这个词。他把这当作他的秘密武器。

　　"给我这道题目的答案，否则……?"

阿德拉伊德就是不让步。即使一定会吵起来，她也永远都不让步，而这就会招来一声：

"丑八怪阿德拉伊德！"

几个月过去了，阿德拉伊德依然对其他孩子都心门紧闭，一个朋友也没有。当然，大部分的孩子也以同样的冷漠回应她。

这天，阿德拉伊德在这条路的拐角处等着下课铃响。孩子们一个个都跑到院子里去了。塞巴斯蒂安闪了出来，他阴阳怪气地长叹一声，想引起别人的注意。阿德拉伊德担心塞巴斯蒂安又要嘲笑自己，她好像古代的贵族正在走上恐怖的断头台一样，虽然怕得不行，但还是高傲地爬了三步。

一走出学校大门，她就沿着梧桐树前行，没有再看一眼那只名叫伊莎贝拉的小猫，它只是在护墙上眯着眼睛在睡觉，看到阿德拉伊德走过来就赶紧溜走了。

"真是爱记仇的家伙！"

大家都不喜欢阿德拉伊德。

二月的一个星期三,春天来了,天气格外晴朗,一束阳光悄悄地溜进了百叶窗,窗外的天空已经金光灿烂,不像早上上学时那种冷冰冰的淡蓝了,这种暖洋洋的天气真适合躺在被窝里。

　　妈妈去超市买东西了,爸爸还在厨房里吃早餐。不管一年四季,他都会在天亮之前起床。他一口气喝完一杯咖啡,然后就去上班。这个小村庄里还有很多工作等着他这个养路工人去做呢。

　　早晨八点,他要回来吃个早餐。他就那么站着吃,一只手拿着一块涂了奶酪的面包,另一只手握着刀子,边吃边在房间里像个流浪的犹太人一样来回踱步。每当有人想跟他说话的时候,看着他来回走都会觉得头晕。

　　"爸爸……爸爸……爸爸!"

　　"怎么了?"

　　"你觉得我长得丑不丑?"

　　阿德拉伊德的爸爸停下了脚步。即使是这个

拿着涂满奶酪面包的流浪犹太人在听到这样一个出乎意料的问题后也会停下脚步。

"你是个美丽的女孩儿。"

爸爸的回答有些过分夸张，显得不那么真诚。阿德拉伊德觉得爸爸是在逃避这个问题。

"爸爸！"

"还有什么问题吗？"

"没有了。"

阿德拉伊德大口地吃着巧克力，好像刚干完苦力活的人一样。

"你要去哪儿啊，阿德拉伊德？"

"到绿灌木丛去。"她答道。

"那你最好带上件雨衣。"爸爸提醒道。

开始刮风了。实际上，云层已经开始翻滚起来了，远远的已经可以闻到雨水的味道，在大雨席卷整个天空之前，已经能感觉到些许雨点落在了脸上，原来灿烂蔚蓝的天空现在只剩下几丝微弱的阳光。但阿德拉伊德可不想穿那么紧的雨衣,她长大长高了,可雨衣却没跟她一起变大。

"丑就丑,但我绝对不当别人的笑柄。"

少年励志小说馆

第六章
奇怪的小男孩

阿德拉伊德出了村子。身后，钟塔的青铜大钟响了九下。她也不细听，只是独自走在通往绿灌木丛的小路上。旁边没人盯着她看，她反而觉得自己漂亮起来。

路变成了上坡。坡道一旁是一座小教堂的几道破墙，连上面的石头都已经滚落，四散在薰衣草丛中。另一旁则是山谷阳面的一丛葡萄藤，还有开得正好的杏子树林。享受这美好的散步时光，一切都变得明亮起来。

为什么妈妈不喜欢这个地方呢？在这里什么烦恼都可以不用去想了！

她像只喜欢冒险的小山羊一样，爬到了一座建在山脊上的大房子外面。大家都叫它霍克贝耶，那里面有两座塔，一座是尖顶的，另一座却是拉得老长的圆顶。

阿德拉伊德朝城堡的栅栏走去，却突然感到一阵迟疑。这幢大房子仿佛在盯着她看。如果这时候有只狗叫了，或者有人出现在城堡的台阶上的话，她肯定会匆匆走过这座房子，丝毫不敢停留。但是既没有狗叫声，也没有人出现。可窗户的窗帘又都是拉开的。

最终还是好奇心战胜了一切。阿德拉伊德对于能够进入一块她心目中的神秘之地感到非常开心。她什么都没有想，就朝大门走去，不过自己也没想到这样很冒失。

阿德拉伊德透过栅栏，好不容易瞄了一眼城堡的花园内部。咦，她看见了什么？一个大概七八岁模样的小男孩，裹着一条毛毯半躺在长椅上，眼睛睁得圆圆的。他一头金发，面容精致，一动不动地抬头望着天，可是眼仁里却毫无光彩。小男孩的身边放着一张小桌，上面堆满打发时间用的玩具和书籍。

阿德拉伊德不敢再往前踏出一步。但是盲眼小男孩的一双耳朵异常灵敏，他还是一动不动，但却高声问到："谁在那里？"

他的声音微微透露出一丝恐惧。阿德拉伊德没有出声。

"一定有人。"小男孩又说。

小男孩警戒起来，小手在桌上摸索着铃铛，准备叫人。阿德拉伊德只好赶紧说："你好！"

她问好时使用的语气是自打到鲁亚克以来最欢快的。小男孩也听出了这一点，所以他放下铃铛，把手收进怀里。

他回道："你好！你是谁？"

阿德拉伊德想了想说："嗯，你不认识我。"

小男孩说："我认识的人确实不多。你住在哪里？"

阿德拉伊德比划了个手势，却马上意识到这不管用。

于是她回答说"住在下面。"却故意不提村庄的名字。

"那你是一个人来的吗？"小男孩继续询问道。

"是的。"阿德拉伊德回答。

"你是怎么走到这来的？"他问。

"散步走过来的。"她答道。

"你几岁了？"

"11 岁。"

"才 11 岁！就一个人到处跑！"小男孩非常惊讶地说。

阿德拉伊德注意到小男孩声音里满满的都是

讶异之情,和一种难以掩饰的渴望。当然并没有嫉妒的意思,只是因为自己从没有过这样的探索之旅而对阿德拉伊德感到既怀疑又崇拜。

"请进来吧。"他很绅士地邀请她,"如果你愿意的话,进来和我说几句话吧。"

他的礼仪有点老掉牙,但充满魅力。毫无疑问他的盲眼让他与世隔绝,却给了他如受难天使一般飘渺虚幻的气质。

阿德拉伊德拉开栅栏小门,门轴吱呀地响,她悄悄地溜进花园,踮起脚顺小路一直向前,直到长椅前面才停下脚步,然后轻轻地把一只手放在盲眼小男孩手上。

"我叫路易·佩鲁。你呢?"

"玛侬。"

阿德拉伊德没注意到后面,城堡的某扇窗户的窗帘动了一下。她又怎么会想到还有两个人正透过轻纱看着她的一举一动呢?

男孩的母亲佩鲁夫人和她婆婆看到这一幕,都惊讶得向后退了一步。

"是鲁亚克村养路工人的女儿。"佩鲁夫人说。

"阿尔梅尔,你认得她?"小男孩的奶奶问道。

"也不算认得。她父母刚搬来这里。"

"我们该出去看下。"

"噢别,奶奶!路易肯定很高兴能交到同龄人的朋友。"

"这小姑娘家教如何?"

"如果她能让路易多说上几句话,家教怎么样又有什么关系呢?我那么想让他……"

佩鲁夫人停下话头。又有谁能明白她的难处呢?

"这么一个在乡下乱跑的疯丫头……"奶奶担心地说道。

佩鲁夫人勉强挤出笑容来掩饰自己的不快。为什么她婆婆这么爱多管闲事呢!

"我们就当什么都不知道,看看路易会不会跟我们提起她。"

"如果他不说呢？"

"那我们也什么也不说。"

"我看你这主意够危险的。"

"怎么会呢，妈妈！路易的病让你想得太多了。这能有什么危险呢？"

"阿尔梅尔，你有时候真有意思。"

两位女士总是意见不一致，所以她们之间的对话暗藏克制又有礼的敌意。还好路易的妈妈表现得不是太明显。

小男孩在这个花园里沉默地度过了许多孤独的时光。这个从天而降，或者说从绿灌木丛来的女孩是他没有想象过的最好的礼物。

"你的声音真好听。"小男孩称赞阿德拉伊德。

"因为我长得好啊！"

她差不多是喊出了这句话，因为对恭维自己的话，她一向全盘接受。

"告诉我你长什么样吧。"

"我有一头金发，上个星期为止还是既长又卷。但是后来被剪掉啦。每次剪头发的时候我都有种当烈士的感觉。"

"还有呢？"小男孩追问道，"你长的什么样？"

"我有一张鹅蛋脸。"

"眼睛呢？"

"榛子色。"

"榛子色，"小男孩喃喃地念，虽然他不知道这颜色是什么样的。

他不知道光明的世界是怎样的。每次一睁眼，他只能看到雾蒙蒙的一片，然后便是无尽的黑暗。

"那你的鼻子呢？"

"我的鼻子呀？小小的。"

"那嘴呢？"

"也小小的。"

阿德拉伊德觉得自己做错了事。路易会相信

她的话吗？她看着他，他看起来没什么疑心。

"我相信你长得和你说的一样好看。"他最后说。

阿德拉伊德知道他是真心诚意的。他希望她长得好看。就算她不把自己夸得像仙女一样美丽，他也会相信她很漂亮。

小男孩忽然出声叫她："玛侬！"

她差点没反应过来这是在叫她，好一会儿才匆匆忙忙回应道："我在这呢。"

"我想摸摸你的脸。"小男孩说。

"这可不行！"

阿德拉伊德喊了一声，本能地往后一跳，大叫着拒绝了路易的要求，像只警惕的小动物。如果他摸到一张不甚完美的脸，谎话就被识破了，所以她的态度有点蛮横。羞涩的路易倒也没有多做坚持。

"你应该相信我，"她用上了命令的语气，"永远都相信我！"

路易却一下子注意到，她在下命令的时候也许下了一个承诺。

"这么说你还会再来吗？"他问道。

"也许吧。"

"什么时候？"

"下星期三吧。"

路易确定阿德拉伊德会再来。虽然他不能真正看见她，但那又怎么样？他知道现实中的花儿就和他想象中的一样美，因为它们散发出那么好闻的味道。他只能像想象花儿一样想象这个女孩的模样。在他没提什么要求的时候，玛侬的声音是那么温柔。他决定一直相信她。

"除非你答应我不告诉任何人我们的谈话，我才会再来。谁都不可以告诉！如果你做不到，我就再也不会来了。懂了吗？"阿德拉伊德说道。

"我答应你。"

"那好，我会再来的。"

路易侧耳听着，阿德拉伊德的脚步声渐渐远去。

栅栏小门吱呀一声打开又吱呀一声关上。片刻之后，又只剩他一个人了。一朵云飘过来挡住了太阳，在他的脸上和背上投下一片阴影，带来一阵寒意。他冷得打了个寒颤。这条毛毯对他来说就是一个庇护所。路易蜷缩在暖和的羊毛毯里，脑海里全是那个美得惊人的小仙子，此刻她正踏上了回程，离他越来越远。

第七章
恼人的相遇

阿德拉伊德加快了步伐,因为她中途耽误了些时间,已经快中午了。她爸爸可不怎么喜欢有人在餐桌上迟到。他对守时的要求几乎到了严苛的程度。

她爸爸会故意平静地说"一个小时后我得去趟市政府",脸上却是怎么都藏不住的不耐烦。

就算用跑的,她也没法早点到家了。她冲下山谷,沾了一身碾碎的百里香的香气。这股香气让她感到很难过,因为她又从玛侬变回了阿德拉伊德。为什么她要撒谎?她现在该怎么办?

她也许再也不会去霍克贝耶堡了。路易也许会等她,也许会伤心。她也很难过。在她变成了金发褐眸的漂亮小女孩的半个小时里,她是如此幸福,现在她又是多么渴望能再体验一下这种幸福啊!

塞巴斯蒂安·莫利亚斯和托马斯·霍德里克正在广场上绕着喷泉滑旱冰。阿德拉伊德希望他们都没注意到她,但是很快就发现事与愿违。

"看,丑八怪阿德拉伊德!"

这两个淘气鬼朝她冲过来,挡住她的去路,还说:"你给我站住!"

街上一个人都没有。没有扫自家门口的家庭主妇,也没有背对小河,坐着等待开饭的男人。

自己也长了张丑脸的塞巴斯蒂安挖苦她:"苍天在上,你可真丑啊!"

他继续往前滑,紧逼阿德拉伊德。另一个男孩托马斯·霍德里克是个憨憨的大个子，其实本质不坏。他只是为了不在另一个男孩面前丢面子才去嘲笑阿德拉伊德。他们非要逼得她后退不可。

"这次看你还能指望哪个老师来救你，丑八怪！除非你答应明天把作业给我抄，否则别想离开这里。"塞巴斯蒂安威胁道。

阿德拉伊德已经被逼到了广场的小墙上，只能硬着头皮冲出去了。但是她很害怕。她在城堡里做了半个小时的漂亮女孩，这种虚幻的快乐让她变得懦弱了。她还没来得及变回那个全身是刺的丑八怪。

只要她想，她可以要多凶有多凶。她话也不说一句，扑到塞巴斯蒂安身上，用尽全力和他厮打起来。她本来不想哭，但怒意竟让她止不住泪水。她跳到这个总是骚扰她的人面前，好揍了他一顿，直到塞巴斯蒂安扯开她。

"你这个臭虫！"他吼道。

她没事了！不，还不能说没事。上衣的纽扣在刚才打架的时候被扯掉了一颗。阿德拉伊德愤怒异常，又跑回去追，最后在水沟边逮住了他们。

　　"你们做梦！"她向他们啐了一口，"想都别想抄我的作业！"

　　如果乖巧的小路易听到了这番漫骂会怎么想呢？总之"玛侬"已经完全变回了阿德拉伊德。

　　绿灌木丛深深吸引着她，她还想再回去。

第八章
来自远方的小仙子

在到达村子后面的旧羊圈之前，她都还是众人口中丑陋的、自己也觉得丑陋的阿德拉伊德。

但一旦过了羊圈后，她就是自己梦想中的玛侬了，也不知道为什么，她难过的时候总在想象所谓的玛侬。但是她又觉得更轻松了。一个星期三接着另一个星期三，春天就快过去，山谷已然飘着夏季的气味。只有下雨能够阻挡阿德拉伊德去城堡的脚步,因为下雨的日子,路易不会待在外面。

她并不喜欢进入城堡。这个大大的、贵族式的房子对一个平民家的孩子来说太过豪华,她都不知道要把脚往哪儿搁。

每次她都是在花园里向小男孩承诺她还会再来。

他总问她:"为什么你不进屋子里呢?"

她就回答:"我也不知道。"

阿德拉伊德对于自己笨拙的谎言之外的东西一无所知,但她绝不会轻易承认这一点。

阿德拉伊德走后,路易继续一个人待在外面。他从来都不对谁说起他们之间的谈话。他的母亲和祖母也不再坚持要让他们进来,也不出现在他们面前。路易每天都呼吸着新鲜空气,看起来很幸福。除了每次都要在下周三来临前忍受一个星期的等待。佩鲁夫人对此相当高兴,并且在背后安排妥当,保证小女孩来的时候只有路易一个人在外面。

路易的父亲也遵从夫人的意思。就算葡萄园

里的事情处理完了，仓库或者酒窖里还有数不清的事情在等着他去做。偶尔，他也会走到花园里的小道上，挂着微笑对路易说上几句话。

不过谁都不怎么提起路易的盲眼。路易也不喜欢聊这个话题。他更愿意向他的朋友提出一堆又一堆的问题，透过她的描述来"看"天空的色彩、盛开的丁香、飞过的小鸟或者书本的封皮。

更多时候，他想去了解从山谷里来的这个小仙子，正是她，让他的生活一周比一周更加五彩缤纷。

"玛侬，"一天他突然对她说，"我知道你是个金发的好看女孩儿，可是你从来都不肯告诉我你到底是从哪儿来的。"

"从很远的地方。"她回答他。

她被这几句话吓了一跳。一切都来不及细想，她就又踏上了一条谎言之路：先试探着踮起脚，把脚尖放在这条不存在的路上，然后整只脚踏上去，接着是另一只脚。如此反复，乐此不疲，最后在自己不小心创造出来的迷宫里迷了路。

"总之就是很远很远。"她又补充了一句。

路易一瞬间觉得她好像要揭开自己的神秘面纱了，于是不停地追问。

她继续说道："不过我在这里已经住了很久了。足足五年。以前……"

她犹豫了一下要不要继续编造一个想象中的自己。

"以前？"小男孩问道。

"以前，我住在一个雪国。"

路易沉默了。虽然她已经开始愿意跟他分享遥远的过去，但是五年！快有一个世纪那么长了。

阿德拉伊德接着说："那时我们住在森林边的大房子里面，应该说是一座城堡。城堡里的塔楼是我爸爸的书房，一楼就是我妈妈的音乐沙龙。我的房间在城堡的上边，里面有很多书。"

"你那时几岁？"路易问她。

"能不能别打断我？你要是总这么问来问去的，我可就不说了！"阿德拉伊德有点愤怒。

"好吧好吧，请你接着说！

这个小小的插曲把她的思路打断了。她又在幻想出来的小路上跨了两大步，然后说：

"冬天，我们乘雪橇在森林里游来荡去。三匹马儿拉着我们，踏过结冰的雪地，跑得飞快。我们就裹着毛皮大衣，只剩鼻子露在外面。时不时会遇见狼……"

"狼！"

路易激动得跳起来，又一次打断了阿德拉伊德的话。狼！玛侬居然见过狼！

"你总有机会见到狼吗？"

"经常。"

"你不怕狼？"

"是有点可怕。但是车夫随身带着枪，就放在膝盖上。他杀过几次狼。马儿们总是怕得不得了。

雪橇周围全是狼。我妈妈把我紧紧抱在怀里,不去看狼群。"

"你呢?"

"我?我一直在数狼有多少只呢。有一次,我数到……"

她犹豫了一下,琢磨着到底该说多少只。

"……二十六只,"她接着说,"马车夫射死了十一只。这些狼靠得可近啦,我都能看见他们黄澄澄的眼睛和尖牙。我很怕,但是我喜欢害怕的感觉。"

"那夏天呢?"路易接着问。

"夏天,茨冈人……你知道吗,就是波希米亚人(法国人对吉普赛人的称呼——编者注)穿过桦树林来到我们家,演奏音乐。我妈妈有点怕他们,但我爸爸对他们很着迷。他们拉小提琴和……"

"和什么?"

"一种我也说不上名字的乐器。不过是什么都无所谓啦。如果是你的话也不会去记它的名字。女的就翩翩起舞……"

"那你呢？"

"我？我啊……"

"你打扮成什么样？"

"能不能不要提问题！"

"可是可以，但是……"

"我会告诉你我想告诉你的事情。但除此之外就没什么好说的了！如果你再问，我就走人。"

"千万别走！"

路易赶紧闭了嘴，他怕她真的一走了之。两人都沉默下来。花园里，一只小鸟唱得正欢。

最后还是阿德拉伊德打破了沉默："一般是蓝色的衣服。"

路易笑得幸福极了，得到她的回答就像是——他曾经听别人说过的那样——随手摘下一朵花儿般的开心。对于他这样一个只能摸索着前进的人，偶尔捕捉到的一缕音符，一丝声响，一个字眼儿就是他的甜蜜、他的光明。

阿德拉伊德接着说："就像我今天穿的裙子。"

路易马上就伸出手想摸摸看是什么样的东西，他养成了这种习惯，因为他的父母一直是鼓励他这么做的。

"别碰我！"

阿德拉伊德一边大叫，一边往后跳。路易没想到她的反应这么激烈，觉得她越来越难懂了。他自己也很尴尬，像是要避开别人直勾勾的注视一样，把手收回了毛毯上。他再也不会向她提问题了。反正他已经有很多东西可以幻想。他的脑海中出现了一座巨大的城堡，城堡四周被森林所包围，覆盖着白雪，四周全是野狼。灯光从窗户星星点点地漏出来。

城堡，树林，野狼……他试图从已经模糊的幼童记忆中寻找它们的影子。在失明之前，他曾经亲眼见过城堡吗？

也许在书里曾经见过。他回想起灰姑娘的城

堡，那儿有长得数不清的台阶，台阶两边簇拥着丛丛玫瑰，沐浴着短暂午夜的月光。但这究竟是自己从书中看来的，还是别人给他念的故事呢？

少年励志小说馆

第九章
花园之声

　　"你为什么一直坐在长椅上？也不怕腿麻吗？"
阿德拉伊德问路易。

　　"要有人搀着我才能在房子或者花园里走走。"
小男孩回答她。

　　"这么你说一个人从来没走过？"

　　"嗯，除了在我自己的房间里。"

　　"站起来！"

小仙子显得很焦急。路易马上顺从地站了起来，因为他是如此习惯于听从别人的话。

过去总是有人温柔地扶着他，絮叨地提醒他，给他坚实又温暖的依靠，比黑夜还让他安心。

"那你会扶着我吗？"他问她。

"不会。"

"但是我不能……"

"你可以。"

"怎么样才行？"

"我会走在你前面，唱歌给你听。"

阿德拉伊德拥有像雪之公主一样的声音。既清脆又不走调，轻柔得听上去就让人感到幸福。路易停下脚步，侧耳倾听。

"你该有多美啊！"他喃喃地说道，在她的歌声中如痴如醉。

那一刻她是多么幸福！从来就没有别人这样夸奖过她！虽然这是一个盲眼孩子的夸奖。但是这样的赞美是多么动听啊！

"别动！"她一边喊一边走到路易身边，万分认真地吻了一下这个受宠若惊的小男孩的脸颊。路易愣在那里，还没反应过来发生了什么事情，他忘了要拉住她。接着他跟在阿德拉伊德身后，步子有些不稳，但是心中充满幸福，慢慢地，他们绕着花园走了一大圈。

路易的步伐渐渐稳下来。歌声再次响起来，变得更快，但在有障碍的地方会暂停一下。

"小心！往右边！"

小男孩伸出双手。他想起来，有人曾经告诉过他一个叫蒙眼躲猫猫的游戏。是不是就像现在这么玩呢？

一扇窗户的后面，两双眼睛正透过窗帘注视着他们的每个举动。

"我还是觉得你太不当回事儿了，阿尔梅尔，你居然不找人看着他们。"路易的奶奶说道。

"我们不是正看着他们嘛。"路易的妈妈回答。

"你对这个小女孩能放得下几分心？我可是担心得很，真的。天知道最后会变成什么样。"

"过几天，路易的眼病就被治好了啊。"

"但愿老天有眼！但是现在……"

"现在我儿子就和其它同龄的孩子一样，至少也没什么大差别，玩得很开心。对我来说，这就是无价之宝。"

"别忘了！路易怎么也不开口提他们之间的谈话，你觉得这也叫正常？"

"小孩子也有小孩子的秘密。"

忧心忡忡的老妇人不情不愿地放下窗帘，说道：

"别说我没提醒过你，阿尔梅尔。"

路易像刚破壳的小鸡一样走在花园的中心小路上。阿德拉伊德在他前面倒退着走，引导着他。他们俩慢慢离开了路易母亲的视线，消失在了一丛女贞灌木后面。佩鲁夫人极力压制着自己想要冲到花园里去的欲望。

两个小小冒险家已经到了栅栏边界了。阿德拉伊德一直在唱歌，但路易猜想她肯定已经不再看着他了。声音飘到了别的地方，最后在一个似乎很空旷的地方不见了踪影。

"玛侬！"

路易害怕地喊道。他马上停下脚步，仿佛前面是无尽的深渊。实际上，阿德拉伊德的心思也不在他身上了。她正凝视着绿灌木丛。面前有一条通向荒芜山脊的小路。只要她愿意，她的歌声，再加上几个谎话，就能轻易把路易带到高耸的山峰上，蓝色的天空衬得它显出明显的灰绿色。

"路易！"

在到门口的时候，虽然犹豫着，她还是叫住了他。总有一天，他们会一起越过这里，但要等到路易对阿德拉伊德的话深信不疑的时候。现在还太早了。

"玛侬,回来!"路易叫住她。

"看清楚了,我就在你身边!"

她用了"看"这个词,但全无恶意,因为他自己也这么说,更何况他有自己独特的"看"的方式,不见得比眼睛好的人更差。

"求你了,"路易小声地央求她,"我们回长椅那儿吧!"

从来没有人带他来过花园的这个地方,也没有人打理这个角落。树枝层层叠叠,遮住了天空;玫瑰也恣意生长,尖刺乱伸。石子路旁还弃置着一辆手推车。阿德拉伊德绕过小车,但什么都没说。她的歌声一直绵延不断,平静得像还在花园的中心小路中时一样。但小路那里是非常平坦的,即使是盲人也能随意走动,不怕磕碰。

路易直直地走向那辆手推车。阿德拉伊德还在唱着。但是,她的歌声有了点微妙的变化。小男孩稍微有点犹豫,再次伸出双手。

"往前走！"

阿德拉伊德说完后，又继续唱了起来，甚至有点气势汹汹的。路易胡乱挥着手，他担心自己会碰到什么东西。

"再往前一点！"阿德拉伊德又说。

他照做了。但是还是感觉到一种未知的危险，正向他袭来。

如果他能看见阿德拉伊德，就会被她充满叛逆而闪烁着光芒的眸子震住。她也不怕别人看见，因为根本就没有别人。她的声音只有温柔，没有出卖这一点——那就是"阿德拉伊德"已经比"玛侬"占了上风的事实。

就在路易的手已经到了推车上方，试图寻找在更高处的障碍的时候，阿德拉伊德喊了："停下！"

只要再向前一步，路易的脚就会撞上包了铁皮的推车轮子了。

路易终于又回到了长椅上，这个他待了很久的温暖的巢穴里。

佩鲁夫人趁孩子去栅栏的当儿,在花园的小桌上放了些小茶点:两杯牛奶,还有两块点缀了半颗樱桃的巧克力蛋糕。做完这些,她又转身进了房里,没再出现了。

"你知道吗,玛侬,我要动手术了。"

"什么时候?"

"很快。"

"你每次都这么说。"

"这次是真的定了。"

阿德拉伊德只是小口地啜饮着牛奶,没有对小男孩说些让人充满希望的话,因为这种鼓励他已经听得太多了。他们俩沉默了一阵,然后路易平静得有点吓人地说:"就在七月。"

阿德拉伊德放下杯子,站起来。这次她比以往都离开得更快、更早。

第十章
日 历

　　五月二十五号一过,塞巴斯蒂安·莫利亚斯就十二岁了。过完这个他期待已久,满世界宣传的生日后的一周,他感觉到来自未来世界的压力,干脆就逃了一次学。这也是他庆祝生日的一种方式。

　　他的女教师特意去了男人们常聚会的桥上找他的父亲,莫利亚斯先生。他们交谈了几句。等塞巴斯蒂安回来,挨上两巴掌,事情就算解决了。

"既然爸妈和老师都想让我上学，我会把最后这一年的课给上完的。等到学期结束，那可就由不得他们了！"塞巴斯蒂安恨恨地想。

这学不像是为塞巴斯蒂安自己上的，而更像是给他那个不允许这个坏男孩无所事事的爸爸上的；给他那个认为他现在择业还太早的母亲上的；给他那个一点都不喜欢她教的课的老师上的，她只知道，要进中学，至少要把小学读完。

塞巴斯蒂安泄愤般地从作业本上扯下一页纸，在上面画了一张日历，一直到 6 月 30 号为止，他在这日历的这天上画了许多三色小旗，还加了些灿烂阳光，因为这天是他终于可以解放的日子。一天又一天，每当下午四点半的钟声响起来，他就报复似的在日历上划掉一天，还故意做给老师看。然后他就会把这张纸拿起来远远地端详，好像自己有老花眼似的。

"他要是不被罚才怪呢。他是自找的。"一个家里开面包店的女孩儿愉快地小声说道。她胖得像刚出炉的圆形大面包,胆子却是比陷入了面包房的蛐蛐儿还小。

"到时候可好玩喽!"托马斯·霍德里克幸灾乐祸地说。其实他想学塞巴斯蒂安,表现得不受驯服,但他知道自己做不到。

然而一天又一天,老师都没有生气。她只是装作什么都没看见。阿德拉伊德也对他视而不见。

这种蔑视简直叫人无法忍受。

几周时间一下子就过去了,塞巴斯蒂安好像变了个人,再也不作怪了。但他在日历上划去日子的力道也越来越重。

正是这些密密的黑线透露了他的不耐烦。塞巴斯蒂安还在每天数剩下的日子。

"还有二十二天了!"他一边这么安慰自己,一边等待下课铃声响起。

第十一章
一心报仇的塞巴斯蒂安

　　这一天,塞巴斯蒂安和托马斯·霍德里克约好在几乎干涸的河床上见面。六月天的早晨是多么美丽!但可想而知过几天天气就会变得相当炎热。塞巴斯蒂安一点都不想穿过这道栅栏,因为它像极了监狱。但是,这一天,他将要展开复仇计划,让所有人永远记得他的壮举。

　　"他在磨叽什么啊,怎么还不来?"塞巴斯蒂安含糊不清地嘟囔着。他正躺在草丛里，以防别人从桥上看见他。

如果他们到得太晚，计划就会失败。到时候塞巴斯蒂安就惨了。

手表上的指针慢慢转动。塞巴斯蒂安已经失去了耐心。他的包就放在身边，里面几乎一本书都没有。他把阅读课本和语法课本都留在家里，把书包用来装他的鬼点子。

"他到底在搞什么啊？"塞巴斯蒂安想。

就在他准备走人的时候，托马斯才慢悠悠地走过来。

"喂，你到底花了多长时间啊？"塞巴斯蒂安责备他。

"反正我是准备好了才来。昨天晚上没拿到，今天早上……"

"拿到手了？"

托马斯从他的包里拿出一个包裹，外面包了两层报纸。

"咱们赶紧过去！"塞巴斯蒂安催促他。

"你就不能跟我说声谢谢！"

"还不快点！"

塞巴斯蒂安想把自己打扮得更乖巧一点,这样会更有说服力。他把头伸到水龙头下面,梳理一头乱得像堆稻草的头发,让它们整齐地分成两边。原来满头乱翘的头发现在也在水的作用下服服帖帖,露出整个额头。大家都快认不出塞巴斯蒂安来了。

"我一个人先进去,"他对托马斯说道,"得让他们觉得我们不是一伙的。"

他把包搭在肩上,因为包里没有那两本书,他也不担心会露馅。

"老师,早上好！"他先向老师问好。

"你好,塞巴斯蒂安。"

教室对于女教师来说一览无余。没人可以神

不知鬼不觉地溜进去。学生们等着进入教室,还有些人挤在教室门口的三级台阶下面,急着看自己被批改的作业本。

"都是些蠢蛋!"塞巴斯蒂安在心里暗骂。

"老师,今天一大早就很热。"

女教师还不太习惯一个从始至终就没听话过的叛逆小子会主动跟她搭话。她微笑着回答,藏起自己的惊讶:"你的头发很整齐啊。"

"因为今天太热啦,头上有点水的时候比较凉快。"

今天早晨其实也没有比别的时候热多少,但这个坏小子似乎确实有了反悔之意,虽然够迟的。于是女教师回答他:

"是啊,夏天到了。"

"我可以开窗户吗?"

"如果你想的话。"

塞巴斯蒂安极力隐藏自己内心的得意洋洋。要坚持做这么久的乖孩子还真不容易。虽然他已经忍不住想飞跑起来，但还是从容地穿过走廊，连看都没有看一眼托马斯·霍德里克。而托马斯呆呆地看着他，一动不动。塞巴斯蒂安进了教室。他做到了！

剩下的就看托马斯·霍德里克的了。

等学生们一坐好，女教师就让他们拿作业本。

阿德拉伊德把手放在抽屉边上。她的手碰到了一个包裹。

"这是什么？"她觉得很奇怪。

这是一个用报纸包起来的包裹。她把包裹放在腿上，好奇地打开了包裹……

"啊！"

阿德拉伊德忍不住尖叫一声。她从座位上蹦起来，吓得喘不过气来，包裹里那只肥大老鼠的尸体就掉在她脚边。这是一只极其丑陋的老鼠，四肢已经僵硬，一嘴尖牙，连胡子看起来都很可怕，尾巴像一条染血的索命绳，挂着狰狞表情的嘴边还有一丝血迹。

所有人都看着阿德拉伊德，然后爆发出一阵笑声。这个倒霉的孩子站着，感到四周满是恶意，令人难以忍受。她大哭起来，比起最开始的害怕，现在是怒火席卷了她。

"老鼠妞！"有人捏着嗓子叫了一句。

班上的学生又开始骚动起来。女教师努力向让他们停下来。阿德拉伊德听到了有人吼得像畜生，让她既难过又生气。她还是不停地哭，因为不知道该怎么办。如果等下她必须把教室里的老鼠扔出去呢？该从窗户扔出去吗？还是扔到塞巴斯蒂安·莫利亚斯脸上？他干了这么恶心的勾当，让她现在既不敢碰这只死老鼠，也不敢坐回去。她还是哭，毫无还手之力，而班上的人笑得更开心了。

"丑八怪阿德拉伊德！"托马斯又喊起来这句话。

已经变成了全班笑柄的阿德拉伊德突然涌上一股反抗的决心。她冲向门口，跑出教室，穿过大

堂和操场,越过广场,跑到村子最后面,直到一溜烟
跑到绿灌木丛。

　　有人跟着她吗?

第十二章
灌木丛中孤身一人

　　阿德拉伊德钻进葡萄园里,此时葡萄藤正枝繁叶茂,汁液饱满,清香阵阵,还涂着青绿色的硫酸盐肥料。她跑过一行行的葡萄藤,一个人离来时的路越来越远,越来越远,直到耗尽全身力气,一头栽在地上,脸颊贴着葡萄园坚硬的土块。她已经不哭了,只是闭上了眼睛,让一切再次归于沉寂。

　　不,她才不会回村子里。他们肯定会找她,而她偏偏要在这里呆到晚上。

但是马上她就知道要在这里呆到晚上不是件容易事了。她瘫倒在地上，命令自己不要想太多。可是死老鼠的画面一直停留在她脑海里，她又想哭了。

他们应该来找她。会不会有人担心自己呢？她多希望是这样！当然她不是指父母的担心。老师肯定已经通知她的父亲了。

如果她还能回去的话，她想回家。她想把自己关在家里的阁楼里。但是她怎么好意思再穿过村子回家呢？要怎么跟妈妈解释发生的一切呢？

还是不能马上回去。

透过葡萄藤的枝叶，阿德拉伊德甚至能看到高高矗立的霍克贝耶堡。但今天不是星期三。如果挑其他日子去城堡，会不会有什么不好的事？

慢慢地，死老鼠不再在她脑海里盘旋，取代那幅画面的是一种不知所措的慌乱感。她要怎么做才好？也许她不该出来的。

她站起来，鼻子刚好比葡萄藤的枝叶高一点。她警惕地望了望四周，确认没人以后才从葡萄园里出来，回到小道上。如果不是因为她成了逃跑的胆小鬼，反抗的人，被所有人抛弃的人，还有所有人眼中的丑八怪，能奔跑在绿灌木丛里是件多么美好的事情啊！

小石子在她的脚下发出清脆的声响。空气既清新又干净。松树翠绿得恰到好处，除了"阿德拉伊德是个丑八怪"之外，一切都是那么完美。

越过眼前这个斜坡，就到了另一个山脊，在那里，她会重新变成拥有仙子般音色的玛侬。

重新变成小仙女的女孩儿来到了城堡的栅栏外，还在为日子和时间不对而担心不已。她在门口徘徊了很久。这时，路易正跟往常一样地坐在中心小道的石子路旁。周围散放了许多塑料制的家畜玩具。他的母亲背对着门坐在他身边，正递给他一个玩具让他摸。

"这是什么？"她问儿子。

"绵羊。"

佩鲁夫人一幅万分高兴的样子。

"你还记得绵羊是什么样的吗？"

为什么她要跟他提他还没失明的时候的事？他那时候还那么小！在他的一生中，失明真的只会是个小小的挫折，不会造成大的影响吗？

"想得起来吗？"

"绵羊全身都是毛，而且白白的。"

专注又愉悦的母亲有意发出有点夸张的笑声，好让她的儿子感受到她的喜悦。

"不过只有干净的绵羊才是白色的。你手上这只就是干净的绵羊。"

"和玛丽·安托瓦内特王后的绵羊一样吗？"

"没错，是这样的。但是特里亚农的绵羊就不怎么白了。"

接着，母亲用更温和的语气问道：

"你能告诉我，在我刚才说的这句话里，使用了哪个时态吗？"

"哪句话？"

"就是那句：'但是特里亚农的绵羊就不怎么白了。'"

"妈妈！"

"怎么了，亲爱的？"

"有别人在。"

第十三章
寻 觅

佩鲁太太转过身来。阿德拉伊德没能溜掉。

"你好啊,年轻的小姐!"

小姑娘红着脸,两手空空。

"是玛侬吗?"路易大叫着。"不过……不过今天不是星期三呀!"

玩具奶牛们倒在了小石子路上。绵羊们同毛驴和火鸡一样被遗忘了。

"确实如此，"佩鲁太太注意到，"今天不是星期三。你为什么没去上学呢？"

"班主任在开教学会议。"

谎言的火苗又开始蹿出来了。似乎所有人都很满意这个答案。

"妈妈，我可以和玛侬去散步吗？"

这孩子非常清楚用什么样的声调是妈妈无法拒绝的。

"戴上帽子，别走太远啊。"

"就去下山顶。"

"不要松开玛侬的手。你现在可不能受伤。"

路易早就听不进去嘱咐了。跟随着这个将未知带到他平淡世界里的向导，他对这次计划外的出行感到非常高兴。两个孩子有说有笑地走过了栅栏。笑声传到了佩鲁太太的耳朵里。她之前的表情一直有点严肃，因为在孩子身边她需要掩饰自己的担心和焦虑。这阵笑声稍微让她释怀了一点。

站在客厅的窗户旁，佩鲁太太的母亲放下了窗帘，摇了摇头。电话响了。这位优雅的太太跳了起来。她总是会在听到电话响时惊得一跳。这点让她的儿媳妇非常不满，尽管自己的儿媳妇容易对日常生活中的很多小细节都感到不满。

　　"喂？"她银铃般的声音问道。

　　佩鲁太太用这刻意的嗓音对着话筒讲话时能惹得阿尔梅尔大笑。但是此刻她正在花园里，所以佩鲁太太可以毫无顾忌地发出她那银铃般的声音。

　　"喂！我听不清您说话……你好，我是佩鲁太太……谁？鲁亚克的教员？啊，是的，她刚刚在……经常过来……您说什么？她不叫玛侬？……是的，是的，玛侬！……总之，当我问我儿媳的时候她是这么回答我的……我听不清您讲话……我不知道，十几岁吧……小格子的裤子……绿色还是蓝色来着，差不多是这样的……对，对。我记得我儿媳好像跟我说过她是个养路工的女儿。"

佩鲁太太听到了电话响声,但是她没有离开花园。今天的天气多好啊!百合花刚刚开放,四月的严寒推迟了它们的花期,雌蕊上金色的花粉也还没有开始飞散到乳白色的花瓣上。花的香气扑鼻,如果在屋里的花瓶放上三枝,就要香得人透不过气了。

"阿尔梅尔!"

佩鲁太太的婆婆直直地站在台阶上,她的神情还保持着镇定,以免被人看出有不好的消息。

"孩子在哪儿呢?"

"他和玛侬去散步了。"

"那孩子不叫玛侬。"

"什么?"

"那孩子是逃出来的。"

"从哪呢?"

"从学校。"

"她逃学啦?呜!真是个淘气包!"

"你就只想到了这个?"

"您瞧，咱们别自己瞎紧张。孩子们已经认识几个月了。路易没有任何危险。但是谁告诉你她不叫玛侬的？"

"奶奶们消息总是最灵通的。"

"难道不应该是妈妈们吗？"

"孩子的爸爸，那个养路工人一个小时后会来找她。"

"他们那时候会回来的。"

佩鲁太太有点不放心。她凝视着他们离去方向上荒原上的灌木丛。天空已出现霞光，荒原上一片空旷。让他们离开是正确的决定吗？

"你要把这些花的花粉蹭到我的桌布上吗？"

"我没有，妈妈，这是给路易的房间摘的。"

第十四章
林荫大道

　　他们手拉手向前走着,彼此没有说一句话。他们都感到第一次有一种说不出来的宁静隔在他俩中间。阿德拉伊德在想自己是不是应该回到家里,向母亲解释自己只是开了个小玩笑呢?她肯定会说:

　　"这不是一个玩笑,这是一个坏透了的恶作剧!"

　　沉浸在大山的广袤和路易对她的深深信任当中,她现在可以原谅将老鼠放到她抽屉里的可怕的塞巴斯蒂安了。

"他只是想和我开玩笑。"

然而,那个该死的"丑八怪"绰号不止一次地伤害了她。她知道自己不漂亮,除了路易,所有人都知道。这难道是她的错吗?如果她真的是什么——

"老鼠妞!"

这些词勾起了她的回忆,让她很不舒服。长的丑已经是一件如此无法忍受的事情了。为什么她还不被人爱呢?

如果她能得严重的流感、猩红热或者腮腺炎,或者任何能让她卧床直到学年结束的病就好了!

"你怎么不说话,玛侬?"

"我在思考。"

"思考什么?"

"一些别的事情。"

路易不再问下去了。今天早上他有点沉默,这有点不同寻常。

这条小径直通的石质岩坝一直延伸到大片的葡萄园。小径悄悄地在一堆开满花朵的灌木丛中分成了两条小路。另一条小路延伸开来，时而上升，时而下降，弯弯曲曲，像一条固执的蛇，用身体打着各种弯。它会弯到天边那陡峭的岩石露台吗？

"路易？"

小男孩并没有回答。

"路易！我们再往远处走一些吧？"

阿德拉伊德还是没有得到回答。在他们身后，房子已经看不见了，片刻前还能隐约看到房子塔楼上岩石的尖角。

"我们爬到上面去怎么样？"

"那上面是什么啊？"

"那儿是山顶，从山顶上可以看到……"

她不说话了，一脸迷惑。为什么要和一个看不见的孩子谈论从这个地方可以看到的景色呢？

"要是站在山顶上，离天空很近呢，"她笨拙地改口说，"那边应该有风，会凉快一点。"

路易仍然沉默不语。又过了好长时间，直到他们爬上了最高峰，路易还是一个字都没有说过。凉风习习，小径消失在鹅卵石中。岩石变得更陡峭，上面是无人居住的灌木丛。

阿德拉伊德痴迷地看着眼前的美景。而路易只能通过感受凉风来体会散步的益处，这时候他嘴里突然冒出了一句话：

"下个礼拜我就做手术了。"

他们停了下来，并没有走到山上陡峭的边缘。

"你的眼睛快好了？"

阿德拉伊德忍不住叫了起来。路易很快就发现，除了替他高兴之外，他还感觉到了这个突如其来的好消息带来的一丝担心的口气。

"嗯，到时我就能看见东西了。"

路易已经厌倦了一直在黑暗中度日。现在，他要好起来，他再也不能忍受日日夜夜与之斗争的盲症了。

在蔚蓝的天空下,小小的两个人影并排站着。路易因为希望而微微发颤,阿德拉伊德则呆呆地站在那儿,犹如被笼罩在一团突如其来的云雾里。

路易开始说话了,他似乎刚刚从畏怯中解脱出来。无论如何,这种畏怯还伴随着一种逐步蔓延的不确定感。这使得他自顾自地说下去……但阿德拉伊德一句话也说不出来。

"就是为了告诉你这个消息我才想出来散步的。你应该明白,我不能当着妈妈面跟你讨论这个。我妈妈想让我相信她一点儿也不担心,但是我知道她其实很担心我。其实我自己也有点儿害怕,可是我确定我的手术会成功的。我很快就可以看到你了。"

他伸出手臂想拥抱他已经失去了的玛侬,而玛侬静静地站在原地,没有说一句话。这一次轮到她沉默了。或许,她被刚刚知道的消息吓到了?

路易的双手只能摸到从指尖划过的风。

第十五章
希望和失望

"我很快就可以看到你了。"

这是阿德拉伊德听到过的最可怕的消息。听他激动地说着，感觉就像有一百只利爪在抓挠阿德拉伊德的心。她十分恐惧，不停地盘算着是留下来，还是赶快逃跑，是躲到灌木中藏起来，还是在幽暗的山洞中度过整个白天。一个丑陋的说谎者能躲到哪里去呢？

路易在焦急地寻找着她。失去了引领者的声音,他就站着那悬崖的山顶上,三步之外就是深渊了。他又危险地向前迈出一步,伸开双臂摸索。

浑身颤抖的阿德拉伊德沉默着。一个恐怖的念头快要将她淹没了,虽然这个念头她并没有真正去考虑过,只是下意识的。但这个可怕的想法占据着她整个脑袋,紧接着她的五脏六腑都被这个念头攥住了。

只差两步,只差两步他就再也看不到她了。而她将永远成为那个有着仙女般声音的、在被狼追赶的雪橇里欢笑的美丽的小女孩。

她本应该大声喊叫:"别再往前走了!"她差一点就尖叫出声了。她把手捂在脸上,整个身子都在摇晃和颤抖,而对外界的动静却丝毫没有察觉,眼泪从她的指缝中涌出。

后来,她终于松开蒙住眼的双手,慢慢睁开了眼睛,她惊恐的发现小男孩真的要掉下去了——他要掉下去了！阿德拉伊德赶紧去拉他。她把他一把抱住，喉咙哽住了，连呼吸都停止了——这一切实在发生的太突然了，她甚至忘了呼吸。她胡乱地抓紧他，发热的手指按在他的脸颊上，微风轻轻吹动着她的头发。

现在，阿德拉伊德好像在自言自语，那么的轻声柔情，混杂着无休止的啜泣。路易根本没明白发生了什么事，伸出手指在空中划来划去。

"玛侬！"男孩低声叫道。

突然，他没有任何预兆地感觉害怕，不知道自己身在何处。他的心头渐渐涌起危险的感觉，一动不动地站在阿德拉伊德朝他扑过来的地方。他正对着前面，那里是阿德拉伊德把他扔下的地方。

"路易！"

从来没有听过这个好似仙女的声音这么着急。到底怎么了？他很想知道。不过首先要拉到那只给他安全的手，是那只手把他从花园里带了出来。

"我们坐一下吧。"

他们蹲下来坐在了露台边上,灌木丛重新变得亲切起来。她又不说话了。在下面远远的地方,葡萄园那边冉冉升起了烟。

"玛侬,几天后我就可以看到你了。"

"别这么说!"

"你不相信我说的吗?你不相信吗?"路易说道。

"我相信你。"

"眼科专家曾经和我的父母谈过话。在另一个房间,他们以为我听不到。他说现在做手术应该是可行的。虽然每次手术只能治好一只眼睛,也有可能失败……"

"不要……"

阿德拉伊德大口喘着气哭了出来,她似乎是不太相信听到的这个消息。路易误解了这份激动的含义,他对阿德拉伊德安慰地说道:

"我想,"疾病使这个安静的孩子的语气听上去异常成熟，"我相信手术一定会成功的。"

"会的。"阿德拉伊德答道。

"这些年来医学已经有了长足的进步。"他就像在复述一门艰深的功课。

"是的。"

"我到时就会看到你的。"

"不，你不会的。"

"为什么？"路易问。

"因为我要走了，我们要搬家了。"

"搬去哪儿？"

"去……克莱蒙费朗。"

"很远吗？"

"很远。"

路易笑了。如果这是唯一能够阻碍他和他的小公主相见的事情的话，那这实在算不上什么。

"没问题，我会请求我的父亲开车带我到克莱蒙费朗去。"

她还要继续撒谎吗？难道她不打算再回到这个小山丘了吗？

"你会把我忘记的。"

"怎么会呢！"

她没有多说什么。有好几次，话都到了嘴边她还是没有说。她怕扰乱这份平静和默契。"我不是玛侬！"她犹豫着要不要说出来，她害怕话一出口，会让这个借她眼睛看世界的男孩儿伤心。

阿德拉伊德换了个话题，她问道：

"你一出生就看不见吗？"

"不是的。"

"那么是因为意外吗？"

"是在我很小的时候发生的。妈妈给我讲过一点，她不太愿意提起这件事，所以我也并不是很了解事情的经过。"

"是什么样的意外？"

"我从楼梯上摔了下来，视力就开始一点一点下降，最后就完全看不见了。"

"你还记得失明之前吗？"

"记不住了。"

这应该是阿德拉伊德最后一次看到路易了。她永远都不愿意让路易看到她的真面目，他一定会失望透了。

如果他真的看到了她，阿德拉伊德又怎么去为自己辩解呢？

第十六章

死胡同

"玛侬,你有没有闻到一股什么东西着火的味道?"路易问道。

"有人在那边烧草吧。"

再过差不多一刻钟,阿德拉伊德就会带着路易走回城堡。她想,等要到了大铁门的时候,她就对他说她再也不会去那了。那她什么时候会离开呢?就是在后天吧。她今天特意来这儿想告诉他这个消息。啊，不行，他肯定要给她写信！……那她就说他们先要住旅馆，所以还不知道在克莱蒙费朗的地址呢。不过当他重见光明的时候，他就可以给她在蒙托尔的祖母家写信了，再简单不过了。蒙托尔在哪里呢？就在这个省的北边。她会把祖母的名字告诉他的。对，等一会就告诉他……

想到这，阿德拉伊德的精神得到了一丝慰藉。她已经找到了可以一直当玛侬的方法。在湛蓝色的美丽的信笺上，信纸那么蓝，就像是狼之雪国里那梦幻裙摆的颜色，她可以用工整的笔迹给路易写很多很多的信。她去蒙托尔度假的时候就会寄信给路易，这样邮戳盖的就是蒙托尔的。她可以告诉他说她之所以不能常常给他写信是因为自己一直在旅途中。

再简单不过了！再简单不过了！可是撒个谎怎么就这么复杂呢！怎么又能够收到对方写的信，然后又不告诉对方自己的真实的名字呢？她还必须要想一些借口告诉自己的祖母,如果祖母收到了一封写给"玛侬"的信,她得知道,"玛侬"就是自己的孙女阿德拉伊德啊。

"在这个小村子里,还有一个人跟我同名同姓呢。这有点奇怪,对吧? 所以你要注意一下哦。"

"那怎么办呢?"

谎言总是更先一步冲出口。如果她一开始就没有撒谎的话,那么现在一切都很简单了啊。但是一切都不可能重新开始了。

"我们写自己的别名吧。"

早应该直接告诉他的,这样就不会出现这种僵局了。自己到底是怎么想的,为什么没有在一开始就跟他说明白呢?

"你一定会笑我的。我的别名真的有点滑稽。家人给我这个名字只是用来取悦我父亲的一个姑婆而已。"

"名字是什么?"

"……父亲的那个姑婆没有孩子。她年纪已经很大了。"

"你的别名到底是什么啊？"

"谁都没叫过我这个名字。它仅仅是我在蒙托尔收信时需要而已。我们所有的信暂时都要寄到那里。这是因为我们要搬家的缘故。明白了么？"

"明白了。"

"我总是会收到很多信。"

"所以，我要写你的什么别名呢？"

"阿德拉伊德。"

"这是个很好听的名字啊。"

"你真的这么觉得？"

"现在有很多女生都叫玛侬，但是我还不知道谁叫做阿德拉伊德呢。"

"噢！是因为这个呀！……"

"阿德拉伊德……我更喜欢这个名字。从今以后，如果你答应的话，我可以一直叫你阿德拉伊德吗？"

累了这么一大圈撒的谎，原来根本没必要，这真是太痛苦了！

路易突然站了起来。他的脸上出现了一股恐慌的神色。

"着火了！"

阿德拉伊德看到一股浓烟覆满了整个天空。她马上跳了起来，沿着岩石开始奔跑。但她却很快发现四面八方的灌木丛都被火吞噬了！火灾已经要蔓延到他们正待着的地方，火焰不急不缓地包抄了小山丘，似乎是为了更好地把它焚毁。

悬崖边上只有一小块可以站着的地方了。小女孩突然想到，他们一定得想办法越过这个包围圈。火势已经蔓延到小路的尽头了。

"路易！抓紧我的手！"

第十七章
阿德拉伊德之战

火焰吞噬着干燥的草丛，好像一群肆意破坏的老鼠，连坚实的树墩都被气势汹涌的火焰包裹着。大火越过它们，攫住它们，撕扯它们的枝叶，烤焦它们鲜绿的树枝，然后扔下它们奔向其他的受害者。

烈火贪婪地熊熊燃烧着，植物在汁液被蒸发后变成一团灰烬四处飞散。松树在猛烈喷发的火势中只坚持了几秒钟就被烧光了，片刻之间只剩下燃烧的树干在火焰中哭泣。那火焰已经爬到他们脚下了，可怕的热度蒸得他们脸色发白，路易和玛侬一下子抱在了一起，吓得动弹不得。

浓浓的黑云腾空而起，向平原上的人们昭示着这里的灾情。人们狂奔而来，却无力对抗强悍的敌人。火舌呜哇叫喊着各种语言，大量不断被吹起的烟尘上下翻飞，火焰带着它噼里啪啦的火星和滚滚浓烟，朝着山顶狂奔而去。这两个小伙伴已然成为大火的掌中之物了。

阿德拉伊德立刻意识到他们不能从他们来的方向逃出去了。在山坡上易燃的灌木丛给火势提供了源源不断的燃料。微风又助长了火焰的气势，让它伴随着骇人的爆裂声向前奔窜。滚滚浓烟，还夹杂着没有燃尽的屑末，遮掩着天空，空气令人窒息。如果想跳过这道火，势必被烤焦或者缺氧而死，只能赶在火焰把他们完全包围之前从悬崖那边逃下去。

阿德拉伊德呼吸急促，脑袋飞快运转着，她马上跑向了陡坡上的小路。她跳到了平整的草丛上，这片草丛多少比那片因为火势而越来越缩小的包围圈宽阔一些。如果不是路易拖着她的胳膊，她本能够飞奔起来的。尽管他也想听凭玛侬的指引，但还是无意识的挣扎不停。

　　路易一句话也不说。这个失明的孩子站在呛人的暗雾中，周围到处是爆裂的声音。热浪灼烤他的脸庞，浓烟让他透不过气。他看不到他善良的小仙女把他带向了另一个深渊。在他们的不远处，火焰持续推进着，想要彻底合上这个死亡的包围圈。火焰还向那条小路追了上来。阿德拉伊德一心想着跑到火焰的前面去。只有这样，他们才有可能得救。有几次，她已经呼吸不过来了。恐惧的心理加上剧烈的奔跑都让她气喘嘘嘘，她不得不停下来。

　　"路易！"她呻吟了一声，几乎要昏倒了。

　　在下面，火焰已经趁他们慌乱的片刻攻占了土地。阿德拉伊德暗自发誓不能够再犹豫了。她的手握紧了男孩的手。无论是火焰、狂奔还是窒息都不能分开这双紧紧相握的手，他们要活下去。

可以过人的通道越来越窄。路边由风随意播下的种子长出的三棵笔直的松树，此刻也在火焰中痛苦扭曲。几秒钟之后，这几棵松树就走到了生命的尽头，它们轰然倒下，向远方扬起颗颗火星。每一颗火星落在草坪上面就引起了新一轮的火灾。

仅剩下一块大岩石了，它像秃头一样光滑，牢牢立在空地上。阿德拉伊德想攀到那块岩石上面去。只有在那里，他们才有呼吸到清洁空气的机会，逃脱燃烧着的使他们窒息的包围圈。又是一团黑云包裹着他们。路易哭了出来。阿德拉伊德听到他哭了么？她只是紧紧拉住他的手。绝不能松开路易的手！这就是她当时唯一印在脑海里的事情，除此之外就是一定要抵达那块岩石。在那里，火焰或许能够被无情的石头阻拦住。

"快跑,路易! 快跑起来!"

在岩石和孩子之间又升起了一道火的屏障,它从地面猛然喷出,洋洋自得地宣布自己最后的胜利。阿德拉伊德刚发过誓,她不会再犹豫了。她紧紧握着路易的手,都快要把它捏碎了。她领着他跳进了火焰中。实在没有别的办法了。在他们身后,炙热的火焰瞬间已经完全包围了他们站过的地方。

他们越过去了! 他们的衣服起火了,阿德拉伊德和路易一起在地上打滚,终于扑灭了衣服上的火焰。她都分不清有没有感受到火焰的啃噬了。岩石和大火保持着一定的距离,站在岩石上面,他们有了短暂的时间呼救。他们可以呼吸了,路易也不再哭泣和尖叫了。他变得有些呆滞,呼吸困难,再也没有一丝力气。

"我们得救了!"小女孩大声呜咽着撒谎道。

热浪又追到了他们所在的地方。火焰在岩石上面的裂缝找到了一丝可乘之机,在那里堆积着一年四季积累下来的苔藓和小树枝。火焰沿着紧紧依附在悬崖上的百里香丛中滑行。穿过簇簇花丛，它就可以捕捉到它的猎物了。

在下面，人越聚越多，都在徒劳地试图扑灭这场大火。还有人站在被大火蹂躏后的山丘附近犹豫不决。阿德拉伊德在浓烟中好不容易睁开了眼睛，她看到了人们，还有消防车，汽笛声吼叫着。

"路易！路易！这一次……这一次，我们真的获救了！"

她再也不要撒谎了。她坚信他们可以获救。她也不需要独自面对这场侵蚀着他们心理防线的灾难。她站了起来，扬起双臂，在充满了浓烟的空气中大声呼救。

如果风可以驱散浓烟就好了！如果救火的人能看到她就好了！只要能看到她就行！

终于，他们看到她了。一个男人冲向了弥漫着黑烟的战场，穿梭在喷射的火焰和燃烧的树木中朝他们跑来，他就是佩鲁先生。从下面望向岩石的最高处，阿德拉伊德只有昆虫那么大点儿，她站得笔直，极力想被人们认出来。她成功了。虽然现在他们依然面临着危险，但她大叫道：

"路易！我们获救了！"

火焰来到了岩石最后的防线。大火向岩石的裂缝中伸出了它有力的钩爪，接着啃噬起阻碍它的簇簇百里香花丛。

阿德拉伊德又对自己说，在被烧死之前她一定要想到别的法子，决不能有丝毫犹豫。她把失明的小路易拉了起来，领着他走到了沟壑的边缘，然后暗自下定决心，闭着眼用力地把他一推，把小男孩猛地推下了近乎垂直的斜坡。路易顺着坚硬的地面滚了下去。

紧接着，轮到阿德拉伊德了，她这回睁大了双眼，跳了下去。好一会儿才感到一阵剧烈的疼痛穿透了她左边的踝关节。她压过滚烫的灰烬，凸起的石头撞到了她的头,又撞上她的肩膀。他们都掉到了一小块空地上,她重新站了起来,把路易拉到了自己身旁,又把他推向了另一块空地,紧接着自己也跳了过去。这跳落的过程好似无休无止,恐惧和苦难感也是如此。阿德拉伊德几乎快要失去理智了。

她的父亲跟在佩鲁先生的后面,用他们的双手奋力地向上爬。看到孩子的举动,两个男人惊恐地呼喊起来。但阿德拉伊德听不到,她就要昏过去了。不行!还要努力一下,还有一个台阶,最后一个台阶!再跳一次就可以脱离火海,可是也有可能会害死这个由她保护照料的小男孩。土地在她下面铺展开来,一大团漆黑包围着她然后把她淹没。

第十八章
来　客

"您的小女儿叫什么名字？"

阿德拉伊德迷迷糊糊地听见了这句话，腾地醒了过来。她睡了很长时间，她记得那次可怕的火灾，她觉得自己从跳崖逃生之后好像一直就没有醒过。她也记得她把路易从岩石高处推下去的举动，太可怕了。这个画面一直在她眼前浮现，还伴随着脚踝以及火灾留下的烧伤的阵痛。

那么现在，真的有人在外面问那个可怕的问题吗？

"路易一直在做噩梦，梦中那个可怜的孩子一会儿喊'玛侬'，一会儿喊'阿德拉伊德'。他始终平静不下来。"

"她叫阿德拉伊德。"

"她怎么样了？"

"好多了，不过还没回过神来。"

"我一想到本可能发生在我们孩子身上的不幸……我们应该算是幸运的了。"受惊不浅的佩鲁夫人喃喃说道。

"请坐吧，夫人。"

"我实话跟您说，现在我真的坐不下来，我的心情乱糟糟的。"

"您想看看我们女儿吗？"

通过半开着的门，阿德拉伊德紧张地听着她们的对话。心里想着，但愿佩鲁夫人不要进来！似乎有火光在房间里四处闪烁，就像幽灵一样，飘荡着，绕着躺椅，发出噼噼啪啪的声音。这个幸免于火灾的小女孩害怕得瑟瑟发抖。

"我觉得我还是过段时间再来吧。"

火光终于渐渐熄灭，阿德拉伊德又能呼吸了。六月炙热的阳光穿过半掩着的百叶窗。房间里安静而祥和。

"您家的小男孩，他怎么样了？"

"他的烧伤都在表面，没有伤及眼睛。不会留疤，至少脸上不会。不过他头发基本都烧没了。"

"阿德拉伊德也没有破相。只有右脸颊上有道痕迹，不过时间长了，应该就会消退的。医生向我们保证过。"

"我总是在琢磨这个女孩哪来那么大的勇气，她救了路易的命啊！"

"那他的手术呢？"母亲试探着问道。

"手术推迟了三周。没办法，还要再担惊受怕三周,不过这都没什么。"

"我理解您,夫人。"

"他会去巴黎动手术。如果一切顺利的话,之后我们要回蒙托尔生活,我们在那儿有房子。我不想再待在霍克贝耶了,这里有点太孤独了。再说,要是我还得继续待在这的话,关于火灾的回忆会让我发疯的。"

"我觉得是有人过失纵火造成的。"

"是的,草里的火没有完全熄灭,在葡萄园里重新燃了起来。这样的季节我们绝不应该再燃明火了。"

阿德拉伊德听说路易要走了。所以她编那个克莱蒙费朗的谎言也是没有必要的?最重要的是,路易要走了,那他就再也不会看到她了。

"我丈夫每个月会来查看一下种植园的事务。"

尽管佩鲁夫人没做太多表示,但在她的声音里还是透露出遗憾。小女孩马上就警觉起来。要是路易的父母考虑一下，不离开霍克贝耶的话……

这位夫人突然转变心意问道；

"您看，我能见见阿德拉伊德吗？就一分钟。"

"我去问一下她。"

"如果她睡了的话就不要打扰她了……"佩鲁夫人不安地说道。

小女孩惊慌不安，她闭上眼睛。母亲轻轻的脚步声靠近了，在阿德拉伊德听来，这仿佛是爱的声音，让她那颗受伤的心没法抗拒。

"妈妈？"

"亲爱的，佩鲁夫人想向你问好。只是想跟你问声好，不会吵到你的。"

阿德拉伊德眨眨眼皮表示同意。她想，路易要走了，不应该再撒谎了。

佩鲁夫人踮着脚尖走进来。她默默地流着眼泪，这眼泪既含着悲伤和担忧，又怀着世间最大的幸福。

"你好啊,阿德拉伊德。"她终于说话了,"我是来跟你说声谢谢的。"

"夫人,我,我想求您件事。"

"什么事呢?"

"我希望路易永远不要再见我了。"

"永远?"

"是的,永远。"

"我向你保证。如果有一天,他的眼睛好了,我也不会让他见你的。"

"我还想……"

"嗯,你说吧,我听着呢。"

"……我想让您不要告诉他我怎么样了。"

佩鲁夫人有点犹豫。

"不要告诉他您来过。完全不要在他面前提到我。"

阿德拉伊德乞求似地微笑着:

"我希望他忘了我。"

佩鲁夫人弯腰轻轻吻了她的额头。

"就这么说定了，我什么都不会告诉他。不过你也不用担心。你知道，你也没有破相。"

阿德拉伊德不再说话了。她已经说了最后一个谎言，关于被遗忘的谎言。

第十九章
在学校的最后一天

阿德拉伊德走近镜子的时候,心紧张地扑通乱跳。她会看到一张怎样的脸呢?医生说的是真的吗?

透过镜子,她看到她的头发有的地方被烧毁了,眉毛也烧焦了,脸上还有块红色的斑。不过也就只有这一块斑。既没有可怕的浮肿,也没有烧坏的皮肉。

于是阿德拉伊德的眼睛瞬间就亮起来了,这使得她更美了。美吗?虽然有点夸张,不过确实很迷人。是的，即使是配上她那一头蓬乱的，像烤焦的刺猬般的头发。

一种感觉到自己还活着的巨大幸福感淹没了她。外面，太阳的光辉照耀着世间万物。小镇里熙熙攘攘。比起穿着蓝裙子的小公主的那片广阔的雪地，这儿显得更真实。

"今天星期几，妈妈？"

"星期二。"

"几号呢？"

"28号。"

"那后天就是这学期的最后一天咯。"

"是的。"

"我后天要去学校。"

"那你戴条发带吧，那样看起来不明显。"

不，不需要发带。

她笔直地走进学校操场。一句话也不说，也不回答任何问题。塞巴斯蒂安·莫里亚克不敢看她。他想要往她这边来吗？可能吧。不过她绝对不会去理睬他什么的，她可不想自己找茬儿。她明年就要上去中学了。不管怎么样，她的小学生涯可不能以一个处分作结。

相对于那些有点儿不自在的学生来说，老师就像没有注意到阿德拉伊德回来一样，她只是在看到小女孩的时候，向她微笑了一下。事实上她早就了解发生了什么。

"在这最后一个上午，"她说道，"我们要重新做一遍听写，我记得上次这个听写你们犯了很多错误，而且是各式各样的错误。接下来，我们开始吧。"

她开始读：

"Paul s'a …ventura au fond…du jardin, virgule, é…pou…vanté …à l'idée qu'une bête …hideuse …"

阿德拉伊德镇定地写下了"hideuse"（丑陋）这个

词。听写继续进行着，没人说话。

"我希望你们会有所进步。"

阿德拉伊德写下句号，然后抬起头。